서글픈 지구 착륙

서글픈 지구 착륙

발 행 | 2024년 3월 4일
저 자 | 황규석(물에불린바나나)
펴낸이 | 한건희
펴낸곳 | 주식회사 부크크
출판사등록 | 2014.07.15.(제2014-16호)
주 소 | 서울특별시 금천구 가산디지털1로 119 SK트윈타워 A동 305호
전 화 | 1670-8316
이메일 | info@bookk.co.kr

ISBN | 979-11-410-7456-2

www.bookk.co.kr
ⓒ 황규석(물에불린바나나) 2024

서글픈

지구

착륙

황규석 지음

CONTENT

#2. 커피, 우리들 삶의 쉼표와 느낌표

#3. 어쩌면 우리 인간보다 더 인간적인

#4. 그럼에도 불구하고 버티고 살아내야

Prologue

시를 쓴다는 것은 하루를 그리고 일상을 함축적으로 만드는 일이라는 생각이 들었습니다. 어설픈 언어를 조합하여 부끄럽지만 시를 만들어 보았습니다. 시는 만드는 것이 아니라 발견되는 것 같기도 합니다.

우리의 일상에서 문득문득 보석처럼 발견되는 언어들을 느끼곤 합니다. 연세가 드신 어른들의 삶의 질곡이 묻어나는 일상의 대화들이 그렇습니다. 또 유치원에 다니는 아이들의 대화에서도 시를 발견합니다.

제 시가 정말 맛있으면 좋겠습니다. 제가 캐낸 시어가 달콤했으면 합니다. 제가 어설프게 꾸며낸 시, 아니 시같지 않은 시라도 아픔을 잊고 미소를 지으며 마음이 조금이라도 따뜻했으면 합니다.

Chapter.1

그렇게 또 바보 같은 사랑과 그리움

누에고치

말없이 웅크려
깊은 잠을 자는 넌
누구의 사랑을
기억하고 잉태하였을까
긴긴 실타래 속으로
묻어나는 천년의 사연

네가 숨 죽이며
웅크리며 꾼 꿈은
오늘 박제된
그리움의 편린인가
훨훨 날아올라
흰 꽃으로 활짝 피어나길

파도, 차디찬 분투

파도여
언제나 영원히 넌
슬픈 운명의 아이다
언제 편안히 잠들어 본 적이 있었니
뜬 눈으로 밤새 하얗게
부서지고
또 부서져도
영원히 잡히지 않지만
또 내게로 다시 밀려온다
철썩 철썩 크어 크어 울부짖되
절대 포기하지 않는
너의 차디찬 분투
억겁의 시간을 헤엄치는
넌 서글픈
그래서 더욱
당당한 겨울 파도여

서글픈 지구 착륙

자 네 입을 벌려봐
달콤한 솜사탕이야
하지만 대지에 안착 못하고
정처없이 하염없이 날아가고
신발에 밟히는 순백의 흰 그대여
비명조차 삼키고 마는
가여운 님이 날개짓이여
내 고운 님의
서글픈 지구 착륙
우리의 접선
암구호는 대설경보
버티며 살아내고
웃으며 살아내야

반짝반짝 빛나는

자반 고등어 비린 냄새 모락모락
바람내음이 실어간다
신설동 로타리 안쪽 용두시장은
불이 꺼진 듯 깜박 깜박
철거라고 써진 시뻘건 딱지가 떠억
완장을 차고 펄럭인다
바람 빠진 달구지 한 대 어깨가 축쳐진 채
전봇대에 수갑이 채워져있다
잿빛 잘려진 무명 구름조각 잠든 듯
하늘에 머무른다

보행기 잡은 할망 느릿느릿 슬로우비디오
마스크 쓴 꼬맹이 둘 손잡고 발 맞추고 까르르르
호피무늬 길 고양이 하아품하며
꼬리를 치켜들고 느리게 걸어간다
텅 빈 개집 옆에 빈 소주병이
12열 종대로 사열중이다
역세권 오피스텔 회사 보유분 분양 월 150보장

초저대출 금리 갈아타기 늦지 않았어요
스티커가 반짝인다

해오름 고시원은 그 골목 중간에
제법 높은 3층으로 높이 서있다
3층 옥상에 빨래 너는 독거노인 대머리 김씨
2층 삐걱거리는 작은 창문이 열리고
3수 고시생 박군이 고개를 빠꼼
달그락 달그락 슬리퍼 끌고 쫄래쫄래 들어오는
미스 홍 손에는 1천 500냥 오메가
커피 4잔이 비닐봉투에 들려있다
내가 쏘는거니까 다들 커피 마셔요
하늘문에서 소담스런 흰 눈이 내리기 시작한다

홀로된 우산

겨울비가 추적거리는
묵호항에서 난 혼자
심야우등고속을 타고 서울에 돌아왔다.
애초에 그녀가 나올거라
생각하지 않았지만 난
늦은 전날 밤에 도착했다.

그냥 어떻게든 살게 되겠지
그녀를 위해서 거짓말을 하긴 싫었다
너라면 그런 말을 믿고 널 따라가겠니?
누우렇게 뜬 얼굴의 새벽 등대가
여기 저기 그늘진 내 얼굴을 비춰주었지.
밤안개가 흐느적 춤을 추는 항구의 밤

네가 편의점에서 사준 우산은
집 앞은 정류장에 미안하지만 버리고 왔다.
그 애를 데리고 혼자 사는

작은 옥탑방에 데리고 가긴 싫었다.
내 가난한 속살의 부끄러움 때묵이었지.

우리 서로를
버렸다고 말하지 않기로 해
너는 날 잃어버리고
나는 널 잃어벌거야

우리 서로를
사랑하지 않았다고 말하지 않기로 해
파도가 밀려오는 잠깐이었지만
너는 날 사랑했었고
밀물이 되어 나가는 찰라의 계속이었지만
나는 널 사랑했었어

등 뒤와 어깨 위에 있는 것

불만과 불안은 늘
내 등 뒤를
기웃거리곤 하지
하지만 행복과 여유도 역시
내 어깨 위에 있었네
그 말은 참지 말아요
당신의 아껴둔 그 말과 마음은
미루거나 참지마세요
사랑한다는 말,
고맙다는 말,
그리고 보고 싶었다는 말

횡단보도 남과 여

횡단보도를 건너는데
앗 저기 맞은편에
헤어진 그녀가 서있다
못본 척 할까
이미 눈이 마주쳤는데 어쩌지
에라 모르겠다
철판 깔고 그냥 건너자

횡단보도를 건너는데
신호가 끝나갈려고 해서
허겁지겁 가는데 앗
헤어진 전 남친이다
참 나아쁜 넘
귀신은 머하나
저 넘 안잡아가고

나쁜 남자의 특징

헤어질 때 꼭 이런 말을 하더라
더 좋은 사람 만나
넌 나에게 과분하다
정말 그렇게 비겁한 거짓말 하지마라

네 가난함에 날 태우기 싫었다는 말
나의 꿈이 네 꿈을 훼방할까 두렵다는 말
더 좋은 남자를 만나라고 핑계를 둘러낸 너
정말 그렇게 비굴하게 말하지 마라

너와 나는 안맞아
널 책임지기 어려워 힘들어
네 외모가 마음에 안들어
이렇게 직접 말해야 정이 떨어진다

지하철 1호선

야메로 사랑을 배운 사람이
만나고 헤어짐을 준비하는
낡고 허름한 1호선 야외 플렛폼.
한가하고 칙칙하지만 오히려 푸근하다.
가운데 큰 철제 기둥 옆 커피 자판기
날 가만히 바라본다.
초여름 비바람이
가슴을 훑고 지나간다.
그리고 다시 황량한 모래사막은
잡초 몇가닥만 아양거린다.

툴툴 거리며 돌아가는 선풍기,
차단기가 내려가고
마중 나가고 배웅갔다가
신호대기한 도시의, 변두리 도시민의
양손엔 배추와 통닭과 소주가 들려져 있다.
캔 아이 러브 유?

다시 오고 가는 사랑

아프고 달콤하지만묻어두는 사랑.

슬프지만 삭이는 사랑을 한다.

툴툴 거리며 돌아가는 낡은

제일 선풍기처럼

오늘도 1호선에는 잊지 못할 그리움이

부풀었다가 사그러든다.

1호선 사랑이다.

그리고 그 바보 같은 사랑을

응원하는 낡은 커피 자판기.

사랑의 용기없음을 감전시킬

사랑의 가식없음, 조건없음을

마음대로변압할수 있는

고압선이 낮게 드러워진

1호선 플렛폼에서

혼자 선 나는,

몇대의 지하철을 보내고

덜컥 하고 떨어지는 종이컵의
달콤한 커피를 한모금 천천히 마신다.

언제나 나즈막히
Can I love you?
라고 나즈막히 1호선의 플렛폼
커피자판기에 기대어 불러본다
그리움의 구멍이 뚫린채...

좋은 날은 지금

좋은 날은 지금
가슴 아픈 때인 것 같습니다.
무작정 좋아하다가 헤어지고
하염없이 그리워 하다가 슬퍼지고
또 아픈 가슴으로 스스로의
상처를 보듬어 안고 좀 비틀거리지만
또 달려가고 걸으며
내 방식대로 살면서
이젠 추억이 된 그대를
생각하며 하얀 미소짓고....
상처를 받아서,
아니 내가 상처를 주었다면
상처를 줄수 있어서
사랑했음으로,
아니 내가 사랑을 받았다면
사랑받을 수 있었기에
지금이

좋은 날인 것 같습니다.
많이 가슴 아프지만 그럼에도
불구하고 땀흘릴 수 있어서
쩔룩거리며 좀 천천히 걷고
주위를 바라볼 수 있어서.

지금이
좋은 날인 것 같습니다.
어느새
주전자의 물이 끓고 있습니다.
펄펄펄 그리고 덜덜덜
손잡이가 없는 낡은 주전자가
떨고 아니 울고 아니
웃고 있는것 같습니다.

하늘 이불

솜사탕 흰 구름 놀멍쉬멍
소풍가는 파란 하늘
어머니의 하이얀 목화이불
뽀송뽀송 자리를 폈네
아이야 붙잡지 않을 테니
네 맘대로 놀다 가렴
어디로 가는지 묻지 않을 테니
천천히 쉬다 가렴

섬진강 사구

억만년 살아 갈린
곱디 고운 너란 존재
훅하고 불면 날아가는 미련의 눈물
죽어도 절대로 사그러지지 못하는
욕망의 시원

한없이 가엽디 가여운
티끌 같은 존재의 가.벼.움.
그래서 더욱 더 서글픈 자유의 날개
그 숨겨진 작은 날개마져
비바람에 부서졌다.
지리산 아래 유유히 흐르는 섬진강
물줄기 옆에 똬리를 튼
영원한 불멸의 너는
우리 발아래 삶의 원자로
시의 무덤이자 영혼의 안온한 자궁이라.

*사구(沙口) : 모래사장 어귀

넌 바보야

내가 널 좋아하는 이유를
꼭 말해야 알겠니
내가 널 걱정하는 이유를
꼭 말해야 알겠니
내가 널 챙겨주는 이유를
꼭 말해야 알겠니

그래서 나는 널
바보라고 생각해
그래서 나는 널
떠날수가 없었어

바보같지만 너무 착해서
바보같지만 너무 생각나서
난 바보같은 널 사랑해

빨간 우체통

한참을 헤멨다
널 만나기 위해
묵묵히 붉은 심장 드러내놓고
속삭이는 너의 진심.
눈비바람 불어도
언제나 그 자리에 가만히
하염없이
널 기다리는 것만도
내겐 감사하고 기쁜일
내 심장에
새빨간 녹이들어
삭아스러져도
널 만날수 있다면
내소식 전할수 있다면
울지않으리
그져 웃어주리라

자작나무 숲에서

나는 조용한
자작나무 숲으로 갔다
불에 자기 몸이 타들어갈 때 자작자작
소리가 난다해서 붙여진 자작나무.

숲에는 여린 자작나무들이
줄지어 사열을 받듯이
차렷자세로 도열해 있었다.
숲에 다다르자
나의 숨 쉼은 사라지고
나무의 숨 쉼이
나의 온 몸을 휘감았다.

자기가 죽을 때 나는 소리를 이름에 붙인
인간의 잔인함에 한번 미간이 떨렸다.
하지만 하늘 높이 구름으로 달려간
나무들은 그런 이름은 상관없듯이

그저 위를 올려다보고 있었다.

나무는 언제나 위로 하늘로만 솟아올라
아래를 바라보지 않는줄 알았다.
그러나 뿌리가 깊이 땅속으로 들어가
영양분을 먹어야 위로
올라갈 힘을 얻는 법 일게다.

나도 그랬다.
언제나 더 나은 직장,
더 나은 돈과 명예를
바라고 한 계단 혹은 두 계단
뛰어오르려 아둥바둥 발버둥을 쳤다.
자만하고 아래를 깔아 뭉게고
올라갈 수 있는 거기.

나무 아래 무수한 낙엽과 흙과 벌레들도
다 자기 영역에서
열심히 살아가고 있는 것
어느 하나 소중하지 않은 생명은 없다.

나무는 그렇게 올라가
햇볕을 가려주기도하고
산소를 내 뿜고 또 그늘에서는
생물이 썩고 미생물이
자라게 하고 있는 것이다.

결코 위만 보고 살아가는
이기적인 존재가 아니리라.
기꺼이 아래를 내어줄 수 있는 존재.

나도 그렇게 살아가고 싶다.
위선과 자만 그리고 허울의
때를 벗어버리고 아래도 살피며
선한 영향력을 주는 사람으로
자작나무를 닮아서 더 싱싱한
숲처럼 살아가고 싶다.

그래 바다로 가자

간밤 찬 서리가 내리고
장독대 위 정한수가 꽁꽁 얼었다.
기울어진 굴뚝에
모락모락 연기가 꾸물럭꾸물럭
누렁이는 슬레이트 지붕아래
포대기 위에 쪼그리고 앉아
얼굴을 다리 사이로 더 깊게 밀어넣었다.

앞산 성황당 돌담이 바닷바람에
입 맞춰 밤새 울던 밤,
저기 먼 방파제 앞
충혈된 등대 불빛도 유난히
깜박 깜박 거렸다.
어슬렁 어슬렁
꺼먹 길냥이 포구쪽으로
가다가 멈추고
뒤를 한 바퀴 돌아보는데 딱

내 눈과 마주쳤다.

눈이 올 것 같았다.
진눈개비가 부슬부슬
꺼먹이 달아나려할 때 지상으로
지상으로 살포시 내려앉았다.
나는 외투 깃을 세우고
소주 한 병을 가슴에 품고

천천히 방파제 끝으로 느리게 걸어갔다.
이제 끝났다.
모든 것이 끝났다 생각하니
더없이 가벼운 발걸음으로.
그래, 바다로 가자 바다로 가자.
단세포 변이로 이제 잊고 아니 망각으로

다시 살자 다짐하며.
등대는 알았다는 듯이
까암빡 가만히 그 큰 눈을 꼬옥 감았다

대설경보

잠이란 녀석과 싸워 이긴
하얀 겨울밤 새벽 5시.
두르르르 두르르 핸드폰 진동이 왔어
심장은 갑자기 분 대기조가 되어 벌렁벌렁

군화 대신 슬리퍼를 끌고 나가
차가운 대문을 열어 하늘을 바라봐
흰 드레스를 입은 그녀가 찾아올 것 같은 설렘.
그녀를 만나 뜨거운
잔치국수를 먹고 싶었어

한밤중이지만 문을 닫지 않은
국수 가게가 있었으면 좋겠어
노랗고 하얀 계란 고명을 채 썰어
김이 모락모락 나는 잔치국수를 먹고 싶다.
후후후 불면서 국수 가락이 콧등을 쳐도
김 서린 창가에서 펄펄 내리는 눈을 바라보며

두르르르 두르르 다시 시작된

핸드폰의 경련.

드디어 기다리던 너,

대설경보가 울렸다.

다시 창가로 다가가 창문을 열면

달콤한 하얀 솜사탕이

얼굴에 닿았다가 훨훨 휘이휘이 날아간다.

월경과 화엄경

슬슬한 5월 아카시아꽃이
떨어지던 봄밤 붉은 달이
담장을 날아올라 높이 오르고
소녀는 가슴속에
붉은 달을 꺼내 태웠다
산불이 일어 모든 걸
잿더미로 만들었어
검은 고요가 찾아오고
붉은 홀씨가 날렸지
고요한 바람이 일어
흙 속의 씨앗을 깨웠어
아가야 이제 눈물은
절대 보이지 않는거야
어딘가 떨어지고 굴러 넘어지면
기어 올라가면 돼
악착같이 먼지라도 살아남아
뿌리를 내리렴

시인이 되고 싶나요

무명시인은 이래야죠
밥보다 술이 좋다
집보다 길이 좋다
돈이 없어도 딱히 불편하지 않다

시인이 되고 싶다구요
지금 제정신이십니까
시인이 되면 가난해집니다
또 시를 몰라야 합니다.
시를 배우면 안되요.

이미 우리 모두는 시인입니다.
후즐근한 양복에 빈 손으로
구멍난 양말로 고향에 내려갔습니다
어머님 장례식장 전봇대 오줌 지리고
빈 속에 깡소주 벌컥이는
그의 직업은.

봄볕

툭
문 앞에 택배가 왔다
한참을 뒤척이다 일어났다.
기지개 한번 켠다 말없이
창가 책장에
비스듬히 기대선다
아무거나 꺼내 뒤적뒤적
책을 넘기다 미끄러지는 미간
눈부신 봄볕에 윙크

라면에 참치를 넣을까
찬밥을 끓여 누룽지를 만들까
등짝이 간지러워 북북 긁고 싶다
창문을 여나 하품이 나온다 하암
노란 봄볕이 주름진 내 두 뺨에 내려앉았다
뒤로 돌아 창문에 기대니 뒤통수가 데워졌다

종점에서

거기에 가야만
나는 가쁜 숨을 멈출수 있다
가고 오고 오고 가고
반복되는 셔틀 인생
텅비어 가는 정수리
시꺼먼 가슴이 겨우 멈춰서는 곳

거기를
나는 우리는 종점이라 노래한다
용기내야 갈 수 있는 곳
느리게 사는 곳
느려서 쉬운 곳
더 이상 나아갈 수가 없어서
더 이상 돌아갈 곳이 없어서

종점 거기가
나 참 좋다

Chapter.2

커피, 우리 삶의 쉼표와 느낌표

너를 녹이는 커피

너 아직 나를 잊지 않고 기억하는지
눈발 날리던 가로등 아래 첫 키스
눈물속에 활짝 꽃핀 내 청춘의
블루 캔버스
우리는 아이스아메리카노
하나로도 충분히 목을 축일수 있었지
내 삶의 방정식이 싫다고 떠난 너
네 삶의 궤도에 올라타긴 미운 나
우리 삶의 해답은 답을 찾을수 없는
미적분이 아닐까
갈증이 난다 현기증이 난다
하나보다 좋은 둘이라 했지만
어쩌다 우린 남남이 되어
카페에 혼자 앉아
하루 종일 쓴 커피 한잔에
너를 녹이고 있는지

크레마

너는 왜 항상 진한 갈색의
거품을 달고 다니니?
샴푸를 하고 씻지 않은 것처럼
하지만 난 네가 좋단다.
너의 그 수수한 모습
꾸미지 않은 모습이 사랑스럽다.

너를 처음 보았을 때
아직 미완성인 줄 알았어.
어라 왜 완성이 안된 걸 나에게 주지?
하고 물음표를 던졌거든.
하지만 네가 곧 맛있는 신선한
표시란 걸 알게 되었어.

어떤 때 너는 뜨거운 저 검은 바다 위에
외로이 홀로 떠 있는 것 같아.
어디에도 숨지 못하고 간추지 못하는 운명.

혹시 실연을 당했을까 아니면
누굴 그리워하는 마음의 연기일까
하얀 갈색 거품안이 네 진심은 무엇일까?

어쨌든 난 널 매일매일 보고 싶어.
매일 출근길 아침이나 어두운 밤에도
너의 그 푹신한 거품과 솔직 담백한 모습을.
널 가만히 보면서 난 위로받고
너와 뜨거운 입맞춤 하면서 사랑하며
언제나 늘 너와 함께 하고 싶다.

나도 그녀도 일한다

7시 카페 문이 열리면 난 5분을 기다려 들어가
네모난 키오스크에서 아메리카노를 주문한다
나도 졸리고 그녀도 졸리운듯 말이 없다
키오스크가 설치되기전에는 말을 걸었는데
이제 점점 말을 걸일도 없어진다
6822번님 주문하신 음료나왔습니다.
맛있게 드세요. 감사합니다.
나는 뜨거운 종이컵을 들고
구석진 나의 자리에 가서 앉는다.
뚜껑을 열고 알맞은 거품이 킨 크레마를
킁킁킁 냄새를 맞고 한참을 흐뭇하게 바라본다.
나는 구석진 자리에 앉아 노트북을 펼친다
2500원에 나만의 작은 작업실이 생긴다.

나는 5시 반에 일어나 지하철과 버스를 갈아타고
강남에 도착하는데 그녀는 어디에서 출발해
그 커피숍에 도착해 일을 시작하는 걸까.

뭐라도 써야 하는데 노트북에는
월드컵 영상이 돌아가고
탄핵시위 뉴스를 검색하고 하품이 나온다
그녀는 연신 울리는 앱의 배달 주문에
아침부터 분주하다
한동안 손님이 없으면 스마트폰을 만지작 거린다
우리는 그렇게 서로만의 여유 시간을 가진다

내가 얼마간의 여유의 시간을
거기 그 작은 카페 구석에서 갖는 것은
그녀를 알지 않아도 되기 때문이고
그녀도 날 알지 않아도 알을 필요도 없기 때문이다
우리는 그렇게 아무런 관계가 없는 사이다
커피를 내리는 사람 그저 커피를 마시는 사람이다
공기처럼 흘러가는 스쳐 지나는 사람이다
공간에 커피라는 존재가 있어서 필요한 사람이다
그녀도 나도 일한다
나도 그녀도 일을 하는 사람이라는 것
남의 아래에서 일을 하묘 돈 버는 사람이라는 이야기
나도 그녀도 일한다

아 그녀도 물론 커피를 좋아할 것이다.

아무 관계도 없고 상관할 바가 없는 사람이지만

커피를 좋아할 것 같다는 생각이 드니 편해진다

우리는 각자의 방식으로 겨울 아침에 마주치고

피곤한 얼굴에 아랑곳하지 않고

보든 말든 알아서 하품하고 하루를 시작한다

그렇게 또 헤어진다

반지하 바리스타

지하 어두운 단칸 월셋방 구석 천장에서
빗물이 하강하고 분홍 바가지에 있다.
똑똑똑 또록 똑 또록 똑똑똑
메트로놈처럼 규칙적이고 또 반규칙적으로
빗물이 방울방울 하늘에서 지상으로
천상에서 지붕을 통과해 지하
나의 아지트로 수직 낙하하고 있다

그날 하루는 일이 없어서 공치는
라면을 끓여 먹고 누워 빗소리를 들었다
을 여기저기 받쳐놓고 빗물의
오묘한 합주곡에 빠져서 마냥 듣고 있었다
가만, 좀 추운데 그래, 맞아
커피가 있었지. 커피 마시자
인력사무소 사무실 정수기 옆에서
가져온 커피 믹스를 주머네에서 꺼냈다
그리고 부르스타에 주전자를 올렸다

이번에는 좀 걸죽하게 진하게 마셔보자.
어둡고 습한 방에 김이 모락모락 피어났다.
따글따글 주전자 뚜껑이 엉덩이를 들썩였다.
재활용가게서 산 천원짜리 늘씬한 머그컵에
믹스 커피 2개를 탈탈 털어 넣었다

커피는 정말 달고 달았다.
얼마 전 여자 친구가 와서 자고 갔었다
그때 보다도 오히려 더 향기롭고 좋았다
똑 또독 똑 또독 또롱. 흐릅 후우 흐릅 후우우

산다는 것 빗물 자유낙하 가만히 바라보면서
단 커피 한잔 마시는 것
분홍 바가지에 빗물이 고이듯
나도 모르게 행복이 차오르는 것

아이스 양파리카노

잘 되는 일도 안 되는 일도 없는
그냥 그런 날이었다.
잿빛 아파트 하늘 아래 뭔지 모를 무거운 침묵
우리는 피곤한 얼굴로 마주했다.
아니 내가 언제나 더 피곤했다.
충혈된 눈은 멍하게 옅어지는
아이스아메리카노를 멍하니 바라보았다.

별말도 하지 않았다.
우리는 그냥 그 무거움을 덜어낼 아니 나눌
어깨가 필요해서 그녀를 불렀는지 모르겠다
이따금 쪽쪽 소리를 내며 우린
빙산이 녹아 검은 물이 천천히 옅어지는
그 검은 얼음물을 위장 속에 털어냈다

어쩌면 그냥 같이 있다는 자체로
떨어져 있지만 같이 숨 쉬고 있다는

자체로 위로를 받고 위안은 받는다

쪽쪽쪽 빨대가 바람이 빠지는 소리가 난다.

차가운 커피도 다 마셨다.

삼심여분 석달만에 잠깐 만나

30분을 마주했다.

꿈적도 안하던 그녀가 일어섰다

몸에 좋데 그녀의 처음이자 마지막 말이었다

비닐에 포장된 양파즙이었다.

고마워 나의 처음이자 마지막 말이었다

얼음만 산처럼 쌓인 투병 플라스틱 컵에

양파즙 비닐을 찢어 짜서 넣었다

양파즙이 빙산에 떨어진다

아이스양파리카노

아메리카노에 양파 맛이 첨가되었다

아재 별과 아재 커피

반지하 단칸방에 숨죽여 들어간다
시커먼 봉다리에 왕뚜껑 컵라면과 삼각김밥
그리고 무거운 어깨에 딸려온
고독이란 놈이 나보다 먼저 자리를 잡자
무거운 한숨 소리가 눈치를 보듯 떨어졌다.
지붕 아래 쥐새끼 가족들이 발을 동동거리며
인기척을 느끼고 달아나고 있었다.
아니 환영 인사를 하고 있는지도 모른다.
쥐처럼 웅크리고 눈치 보며 살았구나.
겁먹고 소심하여 언제나 엉거주춤

연락 끊긴 딸의
유치원 졸업사진을 뚫어지게 본다.
보고 싶다 보고 싶다 속으로 불러본다.
주머니에 오늘 일당을 세어본다.
살짝 미소가 지어진다.
두 달간 현장에 나오란 소리를 들었다.

그래 나가서 벌자 없으면 벌면 되지.
왜 나만 힘들었다고 속 좁게 생각했나.
정신 차리면 비상구 없지않겠지
단단히 마음먹고 걸어가는 거야.
창문 틈으로 하얀 빛이 들어온다.
사거리 편의점 골목옆 자판기로 나간다.
딸그락 딸그락 종이컵에 쪼르르.
아재는 커피잔을 들고 후후 불어마신다.
아재 머리위로 별이 떴다.
뿌연 유리창으로 빛나는 별 하나가
초롱초롱 달랑달랑.
턱에 난 흰 수염에 반사된
아재별이 헤엄치듯 뒹군다.

오늘의 커피

늘 시키던 아메리카노를 누르려다
핫초코가 할인가격으로 떴다.
뭘 시킬까 한참을 망설였다.
늘 마시는 커피를 누르고 구석 자리에 앉았다
이른 아침 사람이 없다 나밖에
노트북을 꺼내 코드를 연결해는데
톡하고 연필이 떨어진다.
업데이트 작업중 22%
젠장 시간이 꽤 걸린다.
6822님 맛있게 드세요
쪼르르 달려나가 커피를 모셔온다
핫뜨거 뜨거운 커피 맛이 오늘따라 쓰다.
공모전 마감은 나흘인데 한 줄도 못나갔다.
가방 속 구겨진 젊은 작가 수상집을 펼친다.
도대체 이게 무슨 소설이야
다시 김수영 문학상 수상작을 펼친다
아니 뭐 이런 시가 다있어

이런 젠장 알다가도 모르겠다

시시콜콜로 가야하는지 아니면

시대사상으로 가야하는지

그러는 사이 방광이 도톰해졌다.

나무막대에 묶인 화장실 키를 받았다

역시 인생은 계주인가

일어서는데 커피가 엎질러졌다

이런 된장 반도 못 마셨는데

그래도 다시 오늘의 커피다.

부르르 진동이 울린다

네 황기사입니다 근처입니다 네 알겠습니다.

바로 가겠습니다

구석 아아

지하철에서 내려 엘리베이터가 없는
조용한 계단을 성큼 성큼 올라가
제일 먼 쪽으로 달리듯 걸었다.
대설이라고 하지만
눈이라고 눈을 씻고 봐도 오지 않을 것 같은 날씨.
아무것도 해내지 못했는데 시간은
참 무심히 잘도 잘도 지나간다.
내 발길이 향한 곳은 대로의 끝
구석진 곳으로 거기에 작은 까페가 있다.
자동문이 열리고 어서오세요 라는 인사가 들렸다.
키오스크에서 늘 뜨거운 아메리카노를 누르다가
간만에 시원한 아이스아메리카노를 주문했다.
QR코드 체크인을 하고 주문하신 음료 나왔습니다를
듣자마자 시원한 아아 아이스아메리카노를 잡고
역시 구석진 자리에 자리를 잡았다.

늘 이상하게 난 구석이 좋다.

그 곳이 좋은 이유는 내가 숨어 있는 것 같아서다.

모두가 공개되어 숨을 수 없는 시대다.

그냥 구석으로 침잠하고 가라앉고 감춰지고 싶다.

오늘은 구석에서 아아를 마신다.

노트북을 켜니 마음이 차분해진다.

다시 흩어진 낱말을 주워모아

이리 저리 붙이고 자른다.

아아는 뜨거워 호호 불지 않아도 좋았다.

남의 눈에 띠지 않아도 좋다는 것은

여기저기 구석자리에서 주위들 둘러보면서부터다.

구석 아메도 좋지만 구석 아아도 좋다.

단짝 친구는 넌 참 이상한 친구야라고 놀린다.

구석을 찾아다니고 구석에서 발견되고 구석에서 놀고
있단다.

그렇다 오늘도 난 구석에서 꼼지락거린다.

작은 꿈을 꾸면서 검은 커피에 떠 있는 얼음처럼

유빙이 되어 12월을 살아내고 있다.

스윙 재즈 커피

501호실에 1년 넘게 엘리가 살고 있다. 그녀는 지금 찾아오는 이가 없다. 얼마전 유리창 너머로 아들이 찾아왔지만 눈만 멀둥 멀둥 뜨고는 못 알아보았다. 우뚝 솟은 콧대는 여전하지만 머리속에는 지우개만 열심히 움직이고 있다. 음식도 삼키지 못해 콧줄을 한 지 2년째로 연하운동을 하고 있지만 효과가 없다. 깊은 주름 골 안에 잠깐이나마 그녀의 눈빛이 빛을 발할 때가 있다. 휠채어에 앉아 맞이하는 아침 모닝 커피 시간이다. 영국 유학시절에도 공부시간이 아깝다고 안마신 커피. 요양병원 간호사가 주는 신경과 약을 탄 종이컵을 믹스 커피로 기억한다.

커피잔을 받아둔 그녀의 모습은 일순간 경건해지고 밝아진다. 나이 예순이 넘어서 마시기 시작한 믹스 커피의 향을 어떻게 기억하는지 모른다. 그 달달한 맛은 그녀가 대학 교수를 퇴직하고 처음 맛본 세상의 맛이었다. 늘 책장 앞을 벗어나지 않았고 교통사고로 죽은 남편을 잊기 위해 강의와 집을 오가는 삶이었다. 그녀에게 오직 유일한 여가 시간은 믹스 커피타임이었다. 그리고 스윙 재즈 음악을 함께 듣는 일. 콘트라 베이스의 낮은 저음이 깔리면서 책에서 봐온 높은 세상을 벗어나 지구의 낮은 구석구석을 여행하는 듯하다.

둥둥 두둥 땅땅 그녀의 뇌신경을 자극하는 달짝찌근한 믹스커피가 그녀의 유일한 낙이자 벗이다. 그녀가 이제 그 커피를 마실 시간도 얼마 남지 않았다. 세상의 모든 것이 지워져도 그녀는 그 달달한 믹스 커피맛을 제 세상까지가져가리라 다짐한다. 약이 든 컵을 든 그녀가 알듯 모를듯 미소를 짓는다. 말라버린 작은 발가락들이 바닥을 꼼지락거리며 춤추듯 움직인다. 두둥 두둥 땅땅.

나의 그리운 손님들

오늘은 어떤 손님들이 찾아올까
버스 정류장옆 작은 박스가 내 집이다
난 궁금해서 이리 저리 고개를 젓는다
간밤에 눈이 많이 와서 내 머리에
흰 빵모자를 쓴 듯하다
찬바람이 부는 겨울은 내가 가장 좋아한다

이른 아침 제일 먼저 날 반겨주시는
분은 나의 주인인 할아버지
나를 이리저리 살펴보시고 어루만져주신다
작년 여름에 할머니가 돌아가시고
안그래도 말이 없으신데 더 말이 없어지셨네
할아버지는 제일 먼저 동전을 넣으시고
내가 만든 커피를 맛보신다

이어서 빌딩 청소를 가시는 아주머니 두 분
두 분이 번갈아 동전을 넣고 한잔을 뽑는다

시집 안가는 딸, 얼마전 본 손녀 이야기 등
아주머니들의 이야기는 참 재미있다
공사판에 일 나가는 김씨 아저씨는
아침 저녁 늘 두잔을 뽑는 단골인데 안 오시네
오늘은 일거리가 없나보다
언젠가 집에 가지않고 날 기대어 잠들었다
밤새 술 냄새가 났지만 나도 외롭지 않았다

출퇴근 시간이 끝나며 나도 좀 한가하다
그런데 요즘 내 몸도 쑤시고 아프다
할아버지는 종이컵을 채우며 날 쓰다듬어주신다
동전을 먹고 깜빡하고 커피를 내리지 못하기도 하고
종이컵이 내려오기전 커피를 내리기도 한다
요즘은 대부분 카페의 커피를 사서 마신다
자판기 커피는 싸구려라는 인식이 강하다
예전에는 줄을 서서 내 커피를 마시곤 했었다
어느새 세월이 그만큼 흘러갔다.
동네의 친구들도 하나둘 사라져 보기 힘들다
그래도 난 나의 손님들을 기다린다
내 커피를 마시고 위로받는 사람들을

고주박 커피

흔들리는 만원 버스가 편의점이 있는 작은 편도 2차선 사거리에 멈추었다. 마침 편의점 유리창으로 컵라면을 먹는 여학생 2명을 보았다. 사랑이 라면국물이냐 차갑게 식어버리게 주인공 여자가 치고 나가는 대사가 생각났다. 노트북을 열면서 그 말을 제일 먼저 기록했다. 그리고는 받아치는 남자의 대사를 오랫동안 적지 못했다, 씬 넘버 1을 쓰고 나서 한참 동안 씬 넘버 2의 진도가 나가지 않았다. 늘 노트북을 열고 닫았다. 거기에 따라 빈 커피잔만 버리게 되었다.

비가 오던 날 카페에서 달고 단 달고나 커피를 한번 마시고 싶었다. 그 단맛의 커피가 입에 들어가는 순간 남자의 대사가 입에서 나오기 시작했다. 그래 미안해 아무래도 난 널 사랑하지 진심으로 않았던 것 같아. 그냥 외로움을 달랠 상대를 찾았던 것 같아. 달고나 커피를 다 마시지 못했다. 난 다시 쓴 아메리카노 커피를 한잔 다시 주문했다. 역시 바로 입에 댈수가 없었다.

내 마음속에 아직 자리한 서글픈 고주박에 뜨거운 커피를 떨어트리고 싶지는 않았다. 차갑게 식기를 기다리고 한참을 창밖을 멍하게 바라보았다. 다시 살아나지 않겠지만 난 식은 커피를 천천히 생명수처럼 고주박에 떨어트렸다.

커피 자판기

뿌연 황사가 눈 앞을 가리는
3월의 마지막 주 화요일
오늘도 나는 가만히 서서
저를 찾는 당신을 기다립니다.
거기 동네 골목 어귀에서

우리 동네의 할머니, 할아버지들은
따뜻한 율무차와 생강차를 뽑아
제 옆의 의자에 앉아 드시는걸
무척 좋아라 하십니다.

저의 주인은 저기 하얀 강아지와
산책하는 키 작은 할머니입니다.
할아버지가 저를 할머니께 선물해주시고
얼마 후에 돌아가셨답니다.
손님이 많을땐 저도 정신없이 바빠서
가끔 프림과 설탕이 떨어지거나

동전이 부족할 때도 많았습니다.
하지만 지금은 솔직히

하루 10잔도 팔기가 힘듭니다.
제 친구들은 이제 고물이 되어서
다 고물상으로 팔려갔다는
이야기를 많이 들었습니다.
신용 카드도 되지 않는
저는 별로 쓸모가 없나봐요.

요즘 사람들은 쓴 커피를 먹지
종이컵의 달달한 커피는 싫어한데요.
저에게도 블랙 커피가 있어요.
프림을 넣지 않은 커피도 있구요.
여름엔 얼음은 없지만 냉수로
차가운 아이스 커피도 만들었답니다.

청소차 아저씨, 화물트럭 아저씨가
종종 저를 찾아와 커피를 뽑아 마십니다.
간만에 그럼 전 신이 나서

덜컥 컵을 내리고 쪼르르
마음을 다해 커피를 내립니다.

찰랑 찰랑 잔돈을 뽑아드리곤 하죠.
하도 오래 서 있어서 다리도
아프고 허리가 아프기도 합니다.
주인 할머니 처럼 저도 몸이 예전같지 않아요.
그래도 마지막 가는 날까지 절 사랑하는
분들을 위해 전 오래 서 그대로
이 자리에 있고 싶어요.
눈이 오나 비가 오나 저는
당신을 기다리는 따뜻한 커피 자판기랍니다.

나의 하루

어서오십쇼!
반갑습니다.
김 기사님은 달게
이 반장님도 달게
난 설탕만 빼고 블랙
김 여사님은 율무
이 여사님은 핫초코
박 여사님은 생강차
땡그렁 땡그렁 땡그렁
동전이 차곡차고 들어가고

나는 정확하게 순서대로
몸을 풀고 신나게 작업중이다.
먼저 물을 데우면서
종이컵을 탁하고 내린다.

쪼르르 쪼르르 뜨거운 커피와 차를

순서대로 내려보낸다.

앗따 달짝찌근하니 맛있구만

역시 자판기 커피가 최고여!

암만, 요거 한잔이면 피로도 달아나제.

이 맛에 난 오늘도

골목 어귀 밤새도록

커피를 끓이고 손님을 기다린다

커피 한 잔 하시고 힘내세요.

안녕히 가십시요.

또 오십시요.

붉게 베이고 검게 물들다

살아야하기에 양식을 먹는다.
걸어가면서.
천국에서 산 김밥이다.
은박지 호일을 벗겨가며
허겁지겁 먹고 걸어간다.
급한 마음에
그것도 대충 입으로 은박지를 벗기고
김밥을 먹는데 김밥에 빨간 피가 묻어있다.
입술이 베였다.
얇고 날카로운 은박지에
그냥 건조한 입술이 조금 베였다.
먼지묻은 서럽속의 기억들.
짐을 정리하다가
옛 추억속의 사진사이로 숨겨진
두껑이 없어진 붉은 빛이 안보이는
좀 퍽퍽한 작은 통안의 개펄에
새끼 손가락이 푹 빠졌다.

손에서 피가 났다.

아니, 그것은 인주였다.

점점 쓸모가 없어지는 인주.

날 기억해달라며

그녀는 나의 작은 손가락에 흔적을 남겼다.

내 새끼 손가락의 손톱은 그렇게

약간 어색하고 뭉클하게

발그레한 물이 들었다.

마트에서 산 블랙 캔커피 2+1

퇴근길 골목길에 따악 따서 거칠어진

목에 콸콸콸 시원하게 들어 부었다.

그리고 캔의 구멍을 입술에

키스하듯이 빨어대다가

알미늄 캔에 입술이 베였다.

아침에 이어 저녁에 다시 입술이

날가로운 무엇에 베였다.

입술의 빨간 피를 닦다가

다시 조금 남은 커피가

하얀 와이셔츠 옷에 물들었다.

조금 갈색으로 아니 조금 검게

아메리카노 색으로 물들여진 셔츠

나는 어제 그리고 오늘

그렇게 베이고 물들고 베이고 물들었다.

나는 오늘

그렇게 날카로운 무엇에

베이고 빨갛게 물들고

그렇게 날카로운 무엇에

베이고 검게 물들었다.

하지만 2개의

캔커피가 아직 남아있으니 다행이다.

살아가는 것 그렇게

베이면서 물들면서 사는것 같다.

믹스커피 2봉

나는 믹스커피
2봉을 아직 씻지 않은
그래서 커피 물이 안쪽에 든
하얀 머그컵에 탈탈 털어 넣었습니다.
그리고 뜨거운 물을
채워 넣고 숟가락으로 후후 불며
휘이 젖습니다.
그리고 어두워진 지하
단칸방에서 홀짝입니다.

나는 지금 발을
조금 절룩거리고 있습니다.
그리고 내 위속에
적당히 달디단
믹스커피 2봉이
가만히 채워지고 있습니다.

할머니 코피

노란 은행알이 발에 밟히고
플라타너스 잎 몇개 안 남은 가로수 옆
호수돈여고 날맹이 버스정류장
시커먼 먹물 같은 연기 뿜어낸 29번 버스
숨이 멎듯 골골 대며 고개를 힘겹게
올라와 가만히 멈추었다.

경로당에서 술 마시다가 넘어져서
팔목이 돌아가 틀어진 우리
석월림 할머니는
꺼먹 봉다리를 세 개 들고 내리셨다.
역전 중앙 도매시장에 다녀온
할머니의 봉다리에 든 것은
커피와 프리마가 각 한통,
설탕 한 봉다리가 다였다.

옹기집 옆 전화교환수의 시아버지인

쌍둥이 할아버지 아이스께끼 두 개를 들고
녹슨 대문을 삐걱 열고 들어오신다.
임자 계신가
막 담뱃불을 붙인 할머니는 기다렸다는 듯
내 맛있는 코피 한잔 대접할께
하고 반기셨다.

할머니는 담배를 비벼 끄고
라디오 옆 쟁반에 업어 놓았던
오래된 엽차 잔 두 개를 세웠다.
작은 숫가락으로 커피 한 스푼
프리마 두 스푼을
정성껏 덜고 설탕 두 스푼을 탁 털어넣었다.
뜨거운 주전자의 물을
2/3 정도 조심스레 붓고
휘이 젓은 코피잔을 쌍둥이 할배에게 건넸다.

아 여윽시 이맛이제
역시 코피는 우리 용택이 할머니가 최고여

날 추워지면 이게 제맛이지요
달다 달어 좋아부러

우리 할머니 석월림
남편이 죽었다고 하자 홀로
리어카로 당신의 남편을 끌고 왔다.
여자 아이 둘과 우리 아버지가 있었고
뱃속에 막내 사내 아이가
태어나기 전이었다.

공군부대 타자수이던 큰 딸의 연애를
반대하자 혼자 자살을 했는데
큰 딸의 주검도 엄마였던 우리
할머니가 처리하셨다.
미군부대의 짬밥을 얻어다 키운 삼남매
그 신산했던 삶의 기나긴 여정의
후반기를 함께해준 담배와 막걸리
그리고 달달한 코피.

집에 갈래 집에 보내줘라며

치매로 고생하시던 할머니를 진정시켰던
것도 역시나 달달한 코피의 맛이었다
3.1운동이 일어나던 해에 태어나신
할머니는 2001년에 졸업을 하셨다.

Chapter.3
어쩌면 우리 인간보다 더 인간적인

강변북로 얼룩말

입김이 나오는 겨울밤
글이 써지지 않아 강변북로를 걸었다
저 앞에 작은 얼룩말이 보였다
통통튀는 걸음
탄력있는 엉덩이
입은 말을 하는지 되새김질을 하는지
오물오물 거렸다

세렝게티 강남역엔
입맛을 다시는 사자들이 득실거린다
그들에게 잡혀먹히지 않으려
사람들은 를 컬을 가슴에 숨긴다
풀을 먹고 일하기 위해
돼지를 먹기도 하고
같은 소를 죽여 잡아먹기도 한다
아스팔트에는 핏물이 끈적이고
잘려진 팔 다리들이 널려있다

밤 안개에 눈을 비볐다
굽힌 허리를 펴고 걸었다
온전히 초식의 세계가 되었으면 좋겠다
어쩔 수 없이 육식을 하지만
풀을 뜯어먹는 초식기 시대로
돌아갔으면 내 머리는 아프지 않을 것 같아
머리털도 빠지지 않고
아마 정수리가 훤한 독수리가 되지 않겠지

얼룩말을 불렀다
녀석은 관심을 보이듯 다가왔으나
내 손길을 거부했다
귀여워 친구가 되고 싶은데 슬픈 일이다
살기 위해선 어쩔 수 없는 일
사람을 믿으면 안 된다는 걸 아네
그래 낮엔 숨어 있다가
밤이라도 기어 나와 자유롭게 뛰어다니렴
나 같이 힘없는 아프리카 가젤처럼

당신의 그리움

그리움이 무얼까
사랑과 그리움은 왜 세트로 다닐까
길가의 이름 없는 개가
나에게 물었다.
당신은 그리움을 아느냐고...

그 그리움과 사랑에 목마름이
바로 나의 눈가의 눈주름으로
보이지 않느냐고 나를 깊숙이 쳐다본다

하루 종일 줄에 묶여
누군가를
그리워해 본 적이 있느냐고

나는 그를
그 길가의 개를
쓰다듬어 주었다

넌 혼자가 아니라고

공손한 자세로 앉아서

그는 반짝이는 눈빛으로

내 손을 핥으며

나의 손길을 작은 사랑을

아낌없이 받았어요

이 세상이 마지막이라도 좋다는 듯.

따끈한 개똥

강아지와 산책을 한다
주인은 강아지를 졸졸 따라간다
여기 저기 킁킁킁
꼬리는 찰랑찰랑
엉거주춤 쪼그려 힘을 주는 강아지
강아지가 큰 일을 본다
주인은 그저 그게 반갑다
금방 나온 개똥은 따끈따끈하다
냄새도 나지 않는다
따끈한 개똥을 줍는 일
그건 우리가 한가족임을 확인시켜준다
살아있어 고맙다
개똥을 치우며 개와 함께
난 길 위의 작은 무명 철학자가 된다
그리곤 골목길을 같이 총총 걷지
카드명세표는 필요가 없어
물론 아파트도 말야

사슬에 묶인 개

날 보자 반갑다고
꼬리치는 작은 강아지에게 손을 내밀었다
골목 고물상 사슬에 묶인 아이는
목이 아픈 줄도 모르고 다가와
찬 내 손을 미친듯이 핥았다
정이 그리워서 였으리라

그깟 손이 더럽혀지는게 대수랴.
그래 맘껏 흔들고
맘껏 반가워하고 좋아하렴 아이야

생명은 그렇게
누구나 사랑이 고프다
생명은 그렇게 누구나 사람이 그리웁다
개의 작은 사랑으로
보탬이 되니 더 고마운 하루

망원시장 망수르

망원시장 부자 고물상 똥개
나 만수르는 아침부터 사람 구경에 신이 났다
처음부터 나 망수르가 기분이
좋아 꼬리를 힘차게 살랑거리지는 않았다
석 달 전 번식농장 뜬장에서
구조돼 보호소에 있다가 지금의 주인을 만났다.
새 아빠가 지어준 이름은 망수르인데
그게 무슨 뜻인지는 아직도 잘 모르겠다
스파게티 배달 오토바이가 부다당
부다당 반찬가게 오토바이는 바리바리 발발발
할부지 짜장하고 손을 잡아끄는 귀여운
손녀 인간들의 모습도 평화롭다
나는 개새끼지만 세상은 참 아름답고 신기하다
아빠가 지어준 내 개집은 모양은 없지만
넓고 튼튼하다

개밥그릇도 있고 물그릇도 있고 세상 구경도 하고

더 이상 부러울 게 없다
그래서 내 이름 망수르도 마음에 든다

거의 온종일 개 줄에 묶여 있지만
가끔 콧바람을 쐬러 나가기도 한다.
앞으로 계속 여기 고물상에 오래오래
살고 싶다고 잠을 자면서 빌어본다.
망원시장 부자 고물상 똥개 경비견
나 망수르는 내일도 행복할 예정이다

나는 똥개다

언제나 납작 엎드려 발발긴다 난
발발 기지않고는 살수 없는 너무 나약한 존재다
묶여 사는 나에겐 그저 그게 생존방법이다

나는 시골 똥개다
누구나 다가오면 꼬리 치고 웃는다 난
웃지 않고는 힘들어 못 사는 짧은 삶이다
묶여 사는 나에게 웃음은 그런 의미다

괜찮아, 난 신경쓰지 않아.
어차피 누가 뭐라든 나는 개니까
오늘 나 살아있음에 웃는거야.

무어라 불리든 무슨 상관이랴
작은 집 있고 아껴주는 주인이 있는데
욕심없이 살다 먼지처럼 가련다

곱등이가 웃는다

곱등아 나랑 밖으로 나가지 않을래
아니 너나 나가 나는 여기가 그냥 좋아
너무 어둡고 습한데 괜찮겠어 나가 햇빛도 쐬고 놀자
아냐 나는 여기가 그냥 편해 여기서 놀을게
그래 그런데 거긴 너무 어둡고 꿉꿉하고
아닌데 덥지 않고 물기도 있고 조용하고 좋아
그래 알았어 나 좀 나갔다 올게 조심해
응 이제 나도 익숙해져서 괜찮아
곱등아 힘내 나처럼 웃어봐 이렇게
어떻게 웃는거지 응 그럼 더듬이를 흔들게 고마워
까만 빛이 널브러진 거기 1평 반 보금자리
컵라면과 삼각김밥으로도 그저 행복했던
아 슬프도록 아름다웠던 내 청춘의 자화상

매미가 우는 이유

밤새 울고 또 울었다
너와 함께할 수 없을 거라 알았지만
내가 할 수 있는 일은 없었기에
운다고 뭐하나 달라지는 것 없다는 걸
나도 잘 알기에 더 악착같이
목청이 떨어지게 울고 있는 거다

내가 밤새워 우는 걸로 보이지만
슬피 우는 게 아니니까 동정하지마
난 신나게 내 삶을 노래하는 중이야

낙타들

울렁울렁 첫차에서 내린 낙타들
이고 진 보따릴 풀어 놓고 진치고 앉아
오물오물 주름살이 춤을 춘다.
장날 철물점 똥개도 사람구경에 신난다
중화루 배달 오토바이가 부다당 부다당
할부지 짜장 짜장하고 손을 땡기는 손녀
털고무신 사고 국밥집에 들렀다.
깍두기 올리고 소머리국밥 한 숟갈
막걸리 한 사발에 세상 시름 담그고
밥 먹었냐 늘상 묻는 말에
아디 아프신데 없으시죠 라고 되묻는다
천막 식당 보글보글 투가리에 담긴 백반
선풍기 탈탈돌아나갈 때
달걀 톡 깨트리고 노란 알 휘휘 젓는다
오일장 여기는 고단한 낙타들이
모여앉아 삶의 더께를 털어내고
숨 고르고 주름살이 춤추는 곳

원고지

여기는 무료니 걱정하지 말아요
아무때나 누구든지 들어오세요
언제나 당신의 이야기를 위해
빈칸으로 비워두겠습니다
항상 흰 옷 입은 너의 순결함에
차르륵 차르륵 검은 잉크의 춤
가여운 또 기쁜 우리들의 서사

연필을 깎다

양볼을 얼게 하는 차가운 깊은 겨울밤
샤워를 마치고 신문지를 촤악 펼쳤어.
낡은 필통 구석에 고개를 돌리고
토라진 목석같은 연필 두 자루를 꺼내
사각사각 조심스레 연필을 깎았지.

사위는 일순간 조용해지고
뜨거운 침묵이 작은 방안을 포근하게 감쌌어.
반가운 고요의 바다 위 가만히 떠 있는
그때 또각 하고 검은 연필심 하나가 부러졌어

그렇게 나에게 찾지 않아 서글픈 맘을,
상처받은 자신을 드러낸 가녀린 연필.
다시 깎아달라고 보채는 듯.
사각사각 조심스레 칼을 움직이자
검은 심이 반짝반짝 내 미간을 밝혔어.
순간 심장이 콩닥콩닥

연필을 깍으며 영사기의 필름이

이야기를 두르고 감기고 있었지.

내 닫히고 차가운 마음속이 뜨거워지기 시작하고

그렇게 몽글몽글 보듬어지고 가슴이 부풀었어.

이미 난 저 동구 밖 보름달 아래 정거장으로

떨리는 첫 문장을 마중 나가고 있었던거야.

나의 글쓰기

나의 글쓰기는
온전히 너로부터 출발하였다
너를 알기 시작하면서 펜을 들었고
너와 사랑에 빠지면서 펜은 춤을 추었지
너와 이별하면서 나의 펜은 힘없이 흔들렸어.
나의 글쓰기는 온전히
너로부터 시나브로 단련되었다.

너의
고운 음성을 들음으로서 생기는 파장
환한 미소가 주는 격렬한 환희
따스한 손길이 전해주는 온기

그렇게 나의 글쓰기는
너의 발화로 시작되어 타오르고
벌겋게 달궈졌다.

나의 글쓰기는

너와의 아픈 이별로 질척거린 눈물에 빠진 펜

나의 눈물 자국에 빠져

나의 글쓰기는머뭇거렸다.

하지만 그것은 더 뜨거운

글쓰기로의 변환을 알리는 변압기로

이 밤 홀로 번쩍거린다.

너라는 존재와 헤어진

이 차고 마른 겨울밤에도 잊지 않기위해

봄꽃을 피우는 글을 쓰기위해

내 펜은 가지치기 중이다.

낡은 노트와 손수레

손수레 폐지더미 맨 아래 꼬깃한
낡은 노트를 꺼낸다
주름진 손으로 볼펜을 들었다
손가락이 잔바람에 비틀거린다
숨죽여 한 글자 한글자 적는다
사랑해 고맙소 당신

어디인들 함께 가기로 한 약속
그래서 오늘을 지금을 놓을 수 없었다
당신보다 하루 더 살자
그렇게 삐걱삐걱
오늘 하루도 먼 여행을 준비한다

나는 오늘도 폐지수거 손수레를 끌며
요양병원에 누운 당신의 보안관이 되어
지켜주리라 꼬옥 안아주리라
정말 잘 살았소

당신 만나 행복했소

미안하오 더 잘해주지 못해서

낡은 노트에 힘주어

꼭꼭 눌러 적는 팔십의 각오

후회의 참회록 혹은

난생 처음이자 마지막 연애편지

김 여사님 힘내세요

김 여사님은 요즘 마음이 심란하고 속이 더부룩하다. 생일이라고 딸이 점심으로 싸준 소고기 미역국이 목에 걸린다. 사랑이 야속하더라 가는 세월이 무정하더라 늘 노래하며 비가 오나 눈이 오나 신나게 걸레질하며 흥에 겨워했었다 그런데 요즘은 도통 신이 나지 않고 삭신이 쑤시는게 힘이 빠진다.

김여사는 신랑이 풍으로 쓰러져 반신불수가 된 지 8년째다. 간호사인 큰딸이 열심히 일하고 막내는 공무원 시험을 준비 중이다. 막내아들은 지난달 군대에 갔는데 코로나 때문에 훈련소 퇴소식도 못 가고 지난주 생일도 챙겨주지도 못했다.

하지만 김 여사님의 제일 큰 걱정은 큰딸이다. 결혼을 약속한 남자친구와 얼마 전 헤어진 이유가 집안이 별볼일이 없어서라는 생각이 들어서였다. 괜찮아 엄마 좀 늦게 더 돈 모아서 더 좋은 남지 만나면 되지. 아무렇

지 않듯 웃어넘기는 딸을 보면 가슴이 미어진다

하긴 날로 치솟는 전셋값에 방 한 칸도 구하기 힘든
세상. 백화점에 이어진 지하철역 남자 화장실 옆 걸레
빠는 수도가 있는 창고 안에 쪼그려 앉아 점심을 먹고
벽에 기대 잠깐 눈을 붙인다. 청소반장인 머리에 수건
을 두른 송 여사님이 들어온다.

우리 김 여사님 이거 잡솨봐 매실 액기스여, 기운내고
널린 게 남자고 널린 게 집이여 자자 기운내자고 잉
아유 고마워요. 반장님. 우덜이 남인감. 기운 내자고 자
네 딸 버린 놈이 아주 후회할 겨. 정말 그렇죠. 우리
딸이 참 예뻐요. 김여사는 다시 콧노래를 부르며 대걸
레를 힘차게 밀었다.

바닥에게 전하는 위로

바닥,
넌 가엽게도 슬프게도
이름조차 그냥 하찮은 바닥이다.

누구나 바닥을 경험하지만
또 누구나 바닥을 딛고 일어서지만
우리를 지켜내고 받아낸 바닥에게
고마워하고 감사하고 기억하지 않는다

바닥에 대한 최소한의 예의는 없다.
어떤 이도 바닥과 가까워지는 걸
그리고 바닥으로 떨어지는 걸
싫어하고 두려워한다.

바닥에서 슬픔과 인내를 배우고
바닥에서 내일의 꿈을 키워가기에
우리는 모두 비닥에게 많은 빚을 지고 있다.

바닥,

잊고 지냈던 고맙고 감사한 존재여,

오늘도 넌 가장 낮은 곳에서 묵묵히

네 역할을 하며 버티고

아니 살아가고 있구나

너의 헌신과 희생을 잊지 않을께

돌솥밥

나이 쉰이 넘어 주름이 늘고
흰머리를 뽑아도 소용이 없어졌어
배불뚝이 아저씨가 되자 알게 된 사실이 하나 있다.
어느 정도 부글부글 끓거나 신열을 앓고 나서
서글픈 내 풋사랑의 그녀를 이해하였다.

진실은 산화되어 사라지고
이차 방정식은 짜글짜글 주름으로
각인이 되고
서글픈 내 것이 된다
목 뒤에 새로 태어난 쥐젖, 아니
작은 새끼 혹성처럼

김이 모락모락 나는 고슬고슬한 돌솥밥
지어 그녀에게 대접하고 싶다
아직도 난 아이처럼 아니 아해처럼

그녀에게 그녀의 흰 머리카락에

내 커다란 얼굴을 묻는다

뜨거워지기 전에 돌판에 누룽지가 되어야

진짜 널 내 품에 가만히 안을 수 있다는 말

이제서야 삼천일이 지나야

겨우 깨닫게 되었지

얼굴 보면 봄이다

담벼락 새초롬 연분홍
이뻐서 차알칵 차알칵
니 이름이 무어니
내 이름은 몰라도 돼
그냥 난 들에서 자라
피었다 지고 또 필래
그렇구나 바로 네가 꽃이구나
이젠 멀리서 꽃을 찾지 않을 거야
네가 웃으니 봄이고
봄에 피는 봄꽃이 되었다
진짜 나의 봄은
바로 너를 네 얼굴을 보면 봄이다

동호대교를 건너며

한 번도 듣지 못한 말이 있다
공부 좀 해라 성적이 왜 이 모양이냐 라는 말.
그런 말을 한 번도 한 적이 없는 부모님께
요즘 난 감사함을 느낀다

책상 서랍 안 원고지를 꼬깃꼬깃 구겨 버리고
슬리퍼를 끌고 무작정 길을 나섰다
꼬들꼬들 장충동 왕족발은 발목이 두꺼웠다
두꺼비 소주 한 병이 딱이다

비 그친 뒤 녹슨 철문의 소리는
흐느끼는 아쟁소리 같았다
취한 밤이 쨍쨍히 비스듬히 걸어간다
작별 인사도 없었다

손꼽아보니 고향 떠난지 22년

그렇게 어느덧 나도

꼰대아닌 꼰대라떼가 되었다

주름살이 늘고 안 보이던 점이 늘어난다

흰머리 수북 M자로 머리털이 빠지는게

초록 잔디라도 이식하고 싶다

그래도 가슴 뛰는 일이 없을까 싶다

승객 여러분 지금 우리 인생 열차는

녹슨 동호대교를 한강 위를 통과하고 있습니다.

무탈하니 너무 걱정마십시오.

Chapter.4

그럼에도 불구하고 버티고 살아내야

18-1번 버스

모두 잠든 새벽 어두운 골목길을
바쁘게 뛰어나간다.
도시락 가방을 메고 잰걸음으로
마을 초입 버스정류장으로
마을 입구 24시 편의점 창가의 알바 아가씨를
힐끗 바라보다 스텝이 꼬여 넘어질뻔 했다.
막 도착하는 18-1번 버스에 맨 뒷자리에 올라탔다.
주름지고 흰 할머니와 백발의 할아버지
그리고 이제 머리가 빠지고 주름살이 늘은 중년들.
칙칙한 외투로 중무장한 젊은 일꾼들이
잠들어있는 수면 출근버스다.

버스는 경사진 삼거리 막썰어 횟집 앞에서
신호 정차한다.
텅빈 빛바랜 파란 수조에 살던 커다란
방어의 초점없는 눈빛의 흐느낌이 울린다.
비늘이 다 떨어진 방어 한 마리 그 촛점 없는 눈빛이

가여웠던 그 곳.

폐업신고를 해서 먼지만 쌓이고 파란

수조관 색깔이 바래는 중이다.

기사님이 앞문으로 내려서 뻑뻑 담배를 빤다

몇몇은 스마트폰에 고개를 처박고 있다.

앞 아주머니는 맞고. 학생은 번쩍번쩍 광선총.

내 앞에 서서 가던 젊은 여성은 내 옆에 자리가 나서 앉자마자

고개를 숙이고 달콤한 잠의 늪에 빠져들었다.

상큼한 샴푸 냄새도 작은 체구의 앳된 그녀의

머리가 피로를 이기지 못하고 내 어깨에 스르르.

반짝이는 머릿결에 물 들을까

도망치려 하지만 꼼짝 못한다

18-1번 작전 버스는 그렇게 강남 빌딩 숲으로

일꾼들을 내려놓는다.

어제도 오늘도 그리고 내일도 태재고개를 넘어

덜컹 덜커덩 끼이익 거리며 나와 나이든

일꾼들을 싣고 달린다.

18-1번은 직선으로 환승역에 가서 일꾼들을

떨궈놓는다

걷기도문

신이시여, 우리는 앞으로 뚜벅뚜벅 걸어 나갑니다.
앞으로 걸어 나아 가기 위해 기도드립니다.
우리 스스로가 원할 때 쉴 수 있고
가고 시픈 방향으로 발길을 바꿀 수 있게 하고
험한 길도 무사히 걸어 나갈 수 있게 도와주소서.

내가 우리가 원할 때 우리가 내가 원할 때
일할 수 있고 사랑을 나누고 도움을 줄 수 있게
불의에 항거하고 아낌없이 베풀 수 있는 용기를
가질 수 있도록 힘을 주소서

존경과 사랑 그리고 믿음과 용서가
내가 디디고 앞으로 서있는 이 땅위에
또 디디는 걸음 걸음마다 펼쳐질 수 있도록
나와 우리의 용기와 의지를 넓게 품고
꿈을 단련하고 준비하겠습니다.
그 용기가 나의 의지가 우리의 꿈이

실의에 빠지고 배반하지 않게 하시옵소서

하여 가볍게 여기지 마시고 귀하게 여겨주시옵소서

여기 보고 딛고 있는 현실에서 용감히 묵묵히 걸어가

려는 이들에게

척추의 말초신경이 강건히 지탱하도록

그냥 한번 꼬옥 안아주시고

등을 토닥여 주시옵서서.

보이는 곳에서든 보이지 않는 곳에서든

저는 오늘도 뚜벅뚜벅 앞으로 걸어나가겠습니다

라면 국물에 진심

오래된 성곽 산책길 돌담아래
노란 들꽃이 활짝 피었다
탐스런 계란후라이 같았다.
남이 보든 안보든 진심으로 웃는 너
한철 피었다 지는 넌 절대 울지 않을까

넌 울고 싶어도 매일 웃어야 하는 것 같아
길거리에 태어나도 그저 태평한 작은 너를 보니
아침부터 잔뜩 열꽃이 핀 내 볼따구가 부끄럽다
너처럼 더 열심히 그저 흔들려도
흔들리며 살아야겠다
내 아픔은 아무것도 아닌 알량한 자존심
라면 2개 끓여 계란 2개 풀고 네 얼굴을 닮은
노란 라면 국물에 밥을 말아먹고
깔깔깔 웃으며 오늘은 그냥 제껴야겠다

어떤 쉼표의 여정

회색 안깨 낀 도시의
하루는 검은 쉼표와 함께 시작된다
산부인과의 대기실에서
그리고 장례식장의 식당에서도
어떤 쉼표는 쉬지 않는다
학원부터 학교 그리고 직장
쉼 없이 달려온 사람들은
하얀 설탕의 단맛에 질렸다
울긋 불긋 분홍의 느끼에 질려버려
검은 쉼표에 빠져들었다
경로당의 노인들도
어떤 검은 쉼표로 하루를 시작한다
그렇게 우리 삶의 여정에
침투된 어떤 검은 쉼표
우린 그렇게 검은 쉼표에 포위당했지

대방동 옥탑방

가장 먼저 빗물과
뜨거운 알 태양을 영접해
천국으로 가기 위해
아니 지상으로 땅위에
발을 딛기 위해
잠시 머무르는 작은 방
다리를 뻗고 손을 내밀면
잡힐 듯 말듯 하얀 구름과 꿈

둥근 철계단을 오른다
숨이 차야 닿는 내 작은 아지트
작고 여린 가슴이 쿵쾅쿵쾅 뛸 때
내 품에 파란 우물이 고인다
비바람 그치고 고드름 똑똑
춘사월 기지개 펴니 목련과 개나리 기웃기웃

서성거리다

오늘도 난 서성거리다
바늘 같은
비가 유리창에 줄기에
오줌줄기 처럼 흐른다
감출수 있어서 다행이다
내 먹먹한 눈물
너 아니면 안된다고
나 아니면 죽겠다고
우리는 입에 거짓말을 달고 살았다
지나고 보니 우린 그랬다
흰 머리카락을 뽑다가
거울에 비친 까칠한 얼굴에
내 볼을 꼬집던 네 보드라운 손길이
그저 그립다
넌 누구의 아내로 엄마로
난 나대로 가정을 이끌고

아무 일도 없는 것 처럼

버스를 기다리고

손잡이를 잡고 덜컹거리며

지나가고 또

어느 정거장에서는

여전히 머뭇거리고 서성거린다

오늘도 난 서성거리다

태재고개

이른 새벽 텅빈 버스는
태재고개에서 올라서자
잠시 숨을 멈춘다
쨍쨍한 일요일 한낮의 나른한 피로
맨 뒷자리에 앉은 나는
고개를 오르기 전부터
다시 마음이 쿵쾅쿵쾅 거렸어

너를 처음 본 곳
너를 처음 기다려본 곳
너와 첫 입맞춤을 했던 곳
그리고 너와 작별인사를 했던 곳
버스는 타지 않은 손님 때문에 문을 닫았지
혹시나 해서 한참을 열어두었어
나도 널 다시 볼까해서 두리번 목을 쭉뺐지
그냥 휑한 바람만 불다가 지나갔어
고개를 힘없이 내려간 비스

갑자기 하늘이 어두운 하늘에 먹물을 품었나봐

빗방울이 또르르 또르르

창문에 부딪혀

춤을 추기 시작했어

돌아올 땐

태재고개에서 내려

우산 없이 비를 맞고 걸어 갈거야

너와 헤어진 그때처럼

망부석

그렇게 산다고 달라지지 않는다고 했다
그래도 언제나 그 자리에
해지고 달뜨고 별이 사라져도
가만히 한 곳을 바라보는 너
넌 버려진거야
그냥 잊어버려
제발 이제 그만 돌아가자고
미련 버리고 그만 잊어버리자고
얼른 돌아가자고 재촉 했다

그럴수록 한 발자국도 움직이지 않는
네 눈에 피눈물이 흐르지 않는 이유는 뭘까
나 너처럼 그렇게 살지 않을거야
다짐하고 또 다짐하면서 나는
혼자 나의 길을 떠난다
하지만 영원히 한 사람을
기다리는 우직하고 단단한 네 모습은

굵은 핏줄처럼 뇌리에서 지워지지 않는다
배신당하고 버려지고 기다림마저 운명이라면
달게 받아들이는 네 초연함

그래 살아라 기다려라
철저하게 언제까지나 기다리고 기다려서
널 버린 사람이 후회하고
피눈물을 흘리며 무릎을 꿇는 날까지

진심

오래된 성곽에
노란 들꽃이 활짝 피었다
남이 보든 안보든
진심으로 웃는 너
넌 절대 울지 않을까
넌 울어도 웃어야 하는지
귀한 아니 태평한 작은 너를 보니
아침부터 잔뜩 불은 내 볼따구가 부끄럽다
더 열심히 그저 흔들려도
흔들리며 살아야겠다
내 아픔은 그냥
라면국물에 밥을 말아먹고
깔깔깔 웃어제껴야겠다

남부 시외버스 터미널

명절인데도 한가한 하행선 버스터미널
마스크 쓴 사람들이
한가히 대합실을 유령처럼 거닌다
비벼끈 담배꽁초는 길을 잃었다
허겁지겁 먹은 김밥이 속 쓰리다

안녕하세요
실례지만 도를 아십니까
글쎄요 알 것 같기도 합니다만
제가 조금 알려드릴까요
아닙니다 실례했습니다
해원상생하세요 도로아미타불
멀어지는 사내와 여자의 허허로운 발걸음
빈손인데 제 무게를 더한 심장이
꺼멓게 멍들어간다
입술이 말라 버석거린다

엄니는 동구밖에서
아직도 늙은 세째아들을 기다리는가
보행기에서 앉았다 일어섰다
주름살만 늘어가는 중이다
떡진 흰 머리를 긁적긁적
버스에 타자마자 잠이 들고
아들은 그저 엄마
비린 젖냄새가 그리워
엄마의 저고리 섶을 파고든다

시외버스 터미널 거긴 아직도
푸근한 어미 젖가슴이 그리운 이들
철부지 아들 딸들이 비비고 서성이는 곳이다

아이처럼

왜 찾지 않을까
잃어버리고 울지 않을까
어른은 아이를 잃어버렸다
머리가 커지면서
모래 장난을 하는 대신
돈쪼가리를 줍기 시작했지

이가 나면서 거짓말이 늘기 시작했지
언제부턴가는 사탕도 멀리하기 시작했어
아이다움을 잃어버린 어른은
웃음을 잃어버리고 꿈도 차버리고
그저 뱃속에 기름만 쌓아둔다
돌아보라
우리의 그 딱지치기 구슬치기 시절을
왜 찾지 않을까
운다고 돌아갈 수 없다고 해도
왜 찾지 않을까

공산성에서

긴 장마 뒤
찌는 더위에
말없이 혼자 성벽에 오른다
헉헉 숨이 차고
콧등에 끈적이는 땀방울 송송

켜켜이 쌓인
돌무덤에 새겨진
거친 손금
먹구름 잡아댕겨
소나비 마냥 흩뿌린다

흐느끼는 비바람의
서늘한 노래에
빛바랜 깃발이
비틀비틀 춤을 춘다
잊혀지고 있다는

것에 대한 흐느낌

억겁의 세월도

비껴 지나가는 찰나

바람의 깃발은

구원의 염원이랴

구멍난 양말과 기차표

평생 바닥을 기고 어둠속을 간다
그리고 한
줄기 빛이 보인다
구멍이 났다 그런데 버려지다니
그때 서울로 가는 기차표를
찢어 버려야 했었어
네 손을 놓지 말고
더 이상 보고 싶지 않다
나 없이도 잘 되었으면 한다
지금 뭐하고 사는지 안 궁금하다는 말
그렇게 사랑했던
달과 별이 헤어지면서
아쉬움에 떨군 밤의 눈물

낙타의 꿈

등이 굽은 그를 우리는
낙타라고 불렀으나 실은 곱추였다.
그는 저 언덕 위를
천천히 걸어 올라왔다.
엉덩이를 삐걱삐걱 실룩실룩
두 다리를 어긋나며
실실 웃으며 걸었다.
입 안에서는 늘 무얼 먹고 있는 듯 했다.
쉴새 없이오물오물 거리는
낙타 아니 곱추 아저씨가
무서워 동네 꼬맹이들은
그를 피해다니기 바빴다.
외딴 집에 혼자 사는 그는 멍하니
하늘을 자주 바라보았다.
그는 파란 하늘을 바라보며
무언가 중얼 거리기도했다.
뙤약볕 아래서

땀을 찔찔 흘리며 걷다가
구름 한 점 없는
파아란 하늘을 보며
환하게 웃으며 중얼거렸다.
아니 노래했다.
"바다다 바다야. 바다야...."
쉴새없이 오물오물 거리는 낙타

배고파 무얼 먹는게 아니라
외로움을 잊으려 바다에 가고 싶어
노래하는 거라는걸 알았다.

파스를 붙이며

여기? 아니 여기? 아니 더 아래
훌렁 벗고 돌아 앉은 아내의 등짝에서
좌표를 찾아 더듬는다.
손이 왜 그렇게 차가워
파스 자국이 있는 곳에 머무른
내 손이 방황한다.
원래 그렇잖아.

응 거기 하나 그리고 조금 위로 하나 더
윤기가 없는 무덤덤한 피부결에
꾹꾹 눌러서 나는
홍삼냄새 나는 파스를 붙여준다.

결혼 십년 한 이불을 덥고 자며
아내의 영양분을 빨아 먹었다.
아내의 주름살은 늘어만가고
내 뱃살은 두겹, 세겹이 되어간다.

삶, 반려자의 등에
파스를 꾸욱 눌러 붙여주고
어루만져 주는 것
등, 반려자의 삶에
기댈 기둥이 되고 바람막이가
되어주는 것
파스, 내 손으로 짝에게
붙여주는 삶의 위로와 응원.

땅바닥을 안았다

바닥에 누웠다.
낯선 바닷가 모래위
낯선 숲속 잔디위
낯선 노지 자갈위에
언제나 가장 낮은곳에 가만히 있는
너를 아무렇지 않게 무심히
찾아가곤 했었지.

우리가 발 디디고
마냥 걷거나 서있다던 그 곳이었다.
우리 발바닥 그리고 신발의 바닥과
항상 가까이 있었던 땅.
그 바닥에 지친 몸을 뉘이자
나의 심장소리를 전하고
너의 들뜬 숨소리를 들을 수 있었다.

비로소 제일 아래에

몸뚱아리를 눕히자
긴 안도의 한숨이 나도 몰래
목젖을 통해 새어 나왔다.
휴우...
제일 아래 누구도
안아줄 수 없고 겨우
등을 대고 마주하는 부끄러운
그러나 소리없이
모든 걸 품어주는 너가
고맙고 그래서 미안하다.

네 이름, 바닥

네 이름, 바닥은
그냥 불러도 서글프고 안스럽다.
태생부터 낮은 곳에 있어
누구하나 관심을 주지 않지만
언제나 함께하는
우리의 빛나지 않는
그 이름이 바로 '바닥'.
그래서 더 안스럽고 또 슬프다.

바닥에
가만히 누워서야
그 빛나는 별을 볼 수 있었다.
고개 들어 보는 별과
바닥에 누워 달라 붙어 보이는
별은 또 차이가 있다.
우리가 보는 별똥별의 위무는
널 위해 남겨두고 싶다.

주어도 목적어도 아닌 서글픈

바닥,
넌 그냥 불러도 웬지 서글픈 운명.
넌 맨 처음 불러주어도
주어가 되지 않고
목적어가 되지 않는다.

인간의 오만으로 넌
누구도 사랑하지 않는 곳으로
고개숙이고 내려 앉는다.
넌 언제나 늘 그렇게 말없이...

풀은 우리의 몸으로 굽혀지고
자갈은 바닥에 깊숙이 눌려있다.
서서히 위로 위로 떠오른다.
그렇게 바닥은 다시
일상으로의 귀환을 준비한다.

우리가 누웠던 그 바닥의

흔적이 외롭게 남아있는 모습.

모든 관계와 일상으로의 탈출과

일시적 관계 끊음이 추락하고 퇴적된다

환한 무엇이 실종된 넓고도 미천한 그곳

밝은 미소가 사라진 구퉁이에서

오늘 한 줌의 말간 햇살이 내려앉길

창고 안 어머니들

환승 지하철역 화장실 옆 청소 용품 창고 안
청소부 어머니들이 모여든다.
작은 플라스틱 의자에 쪼그려 앉아
앉은뱅이가 되어 차가운 도시락을 꺼낸다.
옆은 들락날락 북적대는 화장실
모처럼 둘러앉은 어머니들의 볼우물에는
막 담은 김장김치가 가득하고 웃음이 새어 나온다.
김치가 좀 짜지 않나? 난 괜찮은데
아니다 익으면 맛있겠다. 젓국이 너무 많다.
언니 큰애는 장가 안 가나?
우리 딸래미 여태 공무원시험 준비한다.
참말로 속상하데이, 지가 다 알아서 하게 내버려둬.
즈그들 인생 즈그들이 사는거지 뭐.
그만큼 가르쳤으면 됐지.
보온병 콩나물국이 미지근하지만 그래도 우걱우걱
힘을 내시려고 열심히 맛있게 식사중이다.

밥알도 힘차게 꼭꼭 씹어 드시는 어머니들.

아프지 마세요 창고 안 어머니들

당신은 누구보다 위대하고 자랑스러운 어머니들입니다.

정말 고맙습니다. 또 사랑합니다.

이제 우리가 마주치는 창고 안 어머니들에게

감사와 고마움을 전하고 인사를 드려야 할 때다.

어부바 어머니

어머니, 당신은
허리가 굽도록 평생 일하며
언제나
당신의 모든 것을 남김없이
피와 살까지
자식들에게 전부 내어주시고
작게 사그러지셨습니다.
작아져 가벼운 당신을 업고 나서
당신의 등에 업혀자란
옛 기억이 떠올라 한참을 울었습니다
엄마는 다시 아이가 될 줄 알고
자식의 등에 업힐줄 알고
그렇게 힘들어도 참고 버티며
자식 새끼들을 키우셨나봅니다.

정인아

먼 길 혼자 쓸쓸히 떠난 정인아
492일 너의 짧디 짧은 가쁜 숨 쉼
그냥 울어줄 수 밖에 없는 우리
먼 길 혼자 쓸쓸히 떠난 아이
정인아, 거긴 배고프고 춥지 않겠지.
이제 겨우 492일
태양아래서 아프게 살다 체념한 네 삶
아프다 너무 너무 아프다.

너의 짧디 짧은 가쁜 숨 쉼
그냥 울어줄 수 밖에 없는 우리.
간 밤의 하얀 솜사탕도 네 손 발을 시리게 할텐데
부다 우리 어른들을 용서해다오.
아니 메메해다오.

종당에는 너 있는 그 곳에
찾아가 안아주고 함께 하리라.

그때까지 기다려다오.

가여운 정인아 사랑한다.

너의 그 가여운 그리고 희미한 웃음에

그저 멈추지 않은 뜨거운 눈물을 닦는다.

널 사랑한다.

그리고 미안하다 지켜주지 못해서.

저 하늘 위에서는 맘껏 뛰어놀으렴

아부지

이끼낀 성벽 돌담 옆으로
빈 종이박스가 실린 두바퀴가 달려간다
아부지는 장터에 갔다가
두부 한모와 생선을 사오는 길
신나게 불어라 뒷바람아
언덕 오르는 우리 아부지
힘들지 않게
주름살 활짝 피어나게

을과 을의 조우

수서역을 지나는 늦은 퇴근길 전철 안에서 깜박
손에 쥔 커다란 추석 선물세트
모란역 환승을 위해 계단을 서둘러 오르다
선물세트를 든 한 아가씨와 어깨가 부딪혔다
그녀도 피곤하고 나도 피곤에 찐 얼굴
우리는 누가 먼저랄까
죄송합니다 외쳤다.
그리고 손에 쥔 선물을 보았지
추석 전날의 풍경이랄까
난 참치가 두 개 든 식용유 세트
그녀는 참치 세트에 식용유가 두 개였어
우리는 멋쩍게 웃었다.
어차피 우리는 을이었다.
한우세트를 들고 갈 일이 없는
냉동아이스박스를 들고 퇴근할 일이 없는

서울역 갈라파고스

외로운 섬
갈라파고스는 서울역에도 있다
삶의 발길질에 차이고
평생을 보이지 않는 사슬에 묶여 살았고
결국 쓰러져 일어서지 못하는
사람들이 겨우 바닥을 기고 있다
이제 혼자가 되어 자유지만
가난과 질병과 알콜이 수갑을 채웠다
하여 오라는 곳이 없고 갈 곳이 없다
기차는 들어오고 나가지만
그냥 멀리서 가만히 널 바라만 본다
오지도 가지도 못하는 사람들
그냥 그들는 제자리에서 바둥대고 떠있다
한밤중의 바이올린 탱고 선율
편의점 앞 노숙자가 춤춘다
여기는 서울역 앞 갈라파고스

벽에 금이 갔다

오래된 벽에 금이 갔다
작은 꽃이 피듯 여기 저기 실금이
생기더니 마침내 하나로 연결되었다
누군가 화가나서
칼질을 했는지도 모른다
어떤 불만이 있는지
말못할 고민을 들어달라고 하는지
그저 무너지지 않으려고
모르게 쓰러지지 않으려고
입을 앙 다물고
다만 금이 갔다.
상처난 가슴에 난 금을 보라고
금간 벽은 오랫동안 무너지지 않으리라
보란듯이 저기 오래
금꽃으로 피어 안타깝게 바라보리라.
제발 무너지지 쓰러지지 말라

Epilogue

시는 삶의 지혜를 북돋아 주고 감정을 정화시켜줍니다. 시는 나와 다른 남을 이해하게 합니다. 아직도 시의 순기능은 유효합니다. 시는 반드시 필요합니다. 시가 있어서 우리는 사람답게 살 수 있는 희망을 가지게 됩니다. 시를 더 많이 읽고 써야겠습니다.

풋내 나는 어설픈 시를 읽어주셔서 감사합니다. 다음 시집에서는 보다 진솔한 시를 선물하고 싶습니다. 그리고 반짝이는 시를 썼으면 합니다. 그리고 그 무엇보다 살아있는 생명을 사랑하고 약자를 응원하는 시의 기본을 잃지 않도록 하겠습니다. 사랑합니다. 그리고 감사합니다. 고맙습니다.